Byron Barton

La petite poule rousse

l'école des loisirs
11, rue de Sèvres, Paris 6ᵉ

Il était une fois quatre amis.

Un cochon,   un canard,

un chat   **et une petite poule rousse.**

La petite poule rousse avait trois petits poussins.

Un jour, en picorant,

la petite poule rousse trouva des graines.

Elle alla voir ses trois amis et leur demanda :
« Qui veut m'aider à planter ces graines ? »

« Pas moi », dit le cochon.
« Pas moi », dit le canard.
« Pas moi », dit le chat.

« Alors je planterai ces graines moi-même »,
dit la petite poule rousse.
Et c'est ce qu'elle fit.

Et les graines germèrent et devinrent de grands épis de blé.

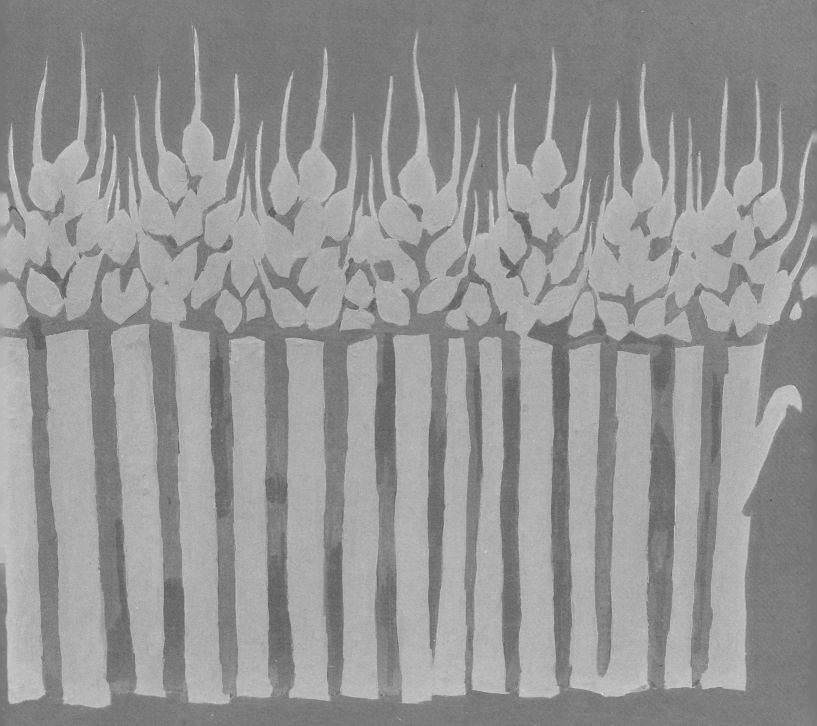

Alors la petite poule rousse demanda à ses trois amis :
« Qui veut m'aider à faucher ce blé ? »

« Pas moi », dit le chat.
« Pas moi », dit le cochon.
« Pas moi », dit le canard.

« Alors je faucherai ce blé moi-même »,
dit la petite poule rousse.

Et c'est ce qu'elle fit.

Ensuite la petite poule rousse demanda à ses amis :
« Qui veut m'aider à battre ce blé ? »

« Pas moi », dit le cochon.   « Pas moi », dit le canard.

« Pas moi », dit le chat.

« Alors je battrai ce blé moi-même »,
dit la petite poule rousse.

Et c'est ce qu'elle fit.

Ensuite la petite poule rousse demanda à ses amis :
« Qui veut m'aider à moudre ces grains
pour en faire de la farine ? »

« Pas moi », dit le cochon.
« Pas moi », dit le canard.
« Pas moi », dit le chat.

« Alors je moudrai ces grains moi-même »,
dit la petite poule rousse.

Et c'est ce qu'elle fit.

Ensuite la petite poule rousse demanda à ses trois amis :
« Qui veut m'aider à faire du pain avec cette farine ? »

« Pas moi », dit le chat.
« Pas moi », dit le cochon.
« Pas moi », dit le canard.

« Alors je ferai ce pain moi-même », dit-elle.

Et c'est ce qu'elle fit.

Puis la petite poule rousse appela ses amis :
« Qui veut m'aider
à manger
ce pain ? »

« Moi », dit le canard.
« Moi », dit le chat.
« Moi », dit le cochon.

« Oh non », dit la petite poule rousse.

« C'est nous qui allons manger ce pain,

mes trois petits poussins et moi. »

Et c'est ce qu'ils firent.